Kleine Thüringen-Bibliothek
DER RENNSTEIG

Der Rennsteig 800 m drunter und drüber

Einer Fabel zufolge hat es vor mehr als 700 Jahren einen edlen fränkischen Ritter in die Hörselberge verschlagen. Der Mann hieß Tannhäuser und soll von 1205 bis 1270 gelebt haben. In jener Zeit hat auf der Wartburg bei Eisenach ein Wettkampf stattgefunden, der als Sängerkrieg überliefert ist. Und an dem vielleicht auch jener Tannhäuser teilgenommen hat, der wie viele Ritter damals den Minnesang pflegte. Die Hörselberge liegen östlich und nicht weit von der Wartburg, so daß man sie zu Fuß oder Pferde schnell erreicht. Daß in jenen Bergen allerdings eine über die Maßen schöne Frau namens Venus ihr Boudoir hatte, konnte Tannhäuser nicht ahnen. Die Reize der Venus schlugen ihn – plötzlich und unerwartet – in ihren Bann, und so folgte er dem Lockruf der Liebe ins Bergesinnere, ohne der Gattin zu Hause zu gedenken. Was sich allerdings nach einer gewissen Zeit änderte, als ihm das Gewissen zu schlagen begann. Dem Trend jener Zeit folgend pilgerte er zum Papst nach Rom, nachdem er die Venus von Hörsel hastig verlassen hatte, um für Vergebung seiner Sünde nachzusuchen. Womit er allerdings bei Papst Urban auf Unverständnis stieß, der sich auch der Meinung seines Herrn im Himmel sicher war, als er gesagt haben soll: „So gewiß, wie mein weißer Hirtenstab nie wieder ausschlagen wird, so wenig wird Gott dir deine Sünde vergeben!" Worauf Tannhäuser niedergeschlagen vondannen zog und zum Venushügel zurückkehrte. Konnte er ahnen, daß nur wenig später Urbans Stab zu grünen begann, worauf der bestürzte Papst eilig nach Tannhäuser schicken ließ, um an ihm das Wunder der Vergebung Gottes zu vollziehen. Vergeblich; Tannhäuser tauchte nie wieder auf, um aber in einer der schönsten und der berühmtesten Sage des Thüringer Waldes für immer weiterzuleben; von Richard Wagner in einer Oper verewigt.

Unweit von Wartburg und Hörselbergen beginnt der legendäre und sagenhafte Höhenweg des Thüringer Waldes, der im allgemeinen Rennsteig genannt wird, auf einem kleinen Stück aber auch Rennweg heißt und von einigen akribischen Heimatkundlern umbeirrt als Rennstieg bezeichnet wird. Dieser Steig, Stieg oder Weg rankt sich um Gipfel und Senken, hinauf und hinaub, umrankt von Geschichten und Geschehnissen, Gestalten und Gestaltern. Im Dunkeln liegen seine Anfänge und sein ursprünglicher Sinn. Ein Verbindungsweg zwischen germanischen Stämmen? Ein Kurierpfad, der die sumpfigen Niederungen mied? Erst im 14. Jahrhundert steht sein Name in einer Urkunde. Die Herren von Frankenstein traten ihre Lehen vom Kloster Hersfeld an Grafen Berthold von Henneberg ab, und in dem beurkundeten Verkauf des „Frankensteiner Wildbannes" vom 10. August 1330 in Schmalkalden taucht zweimal der Begriff „Rynnestig" zur Bezeichnung von Grenzpunkten auf. In „Rynne" steckt zweifellos das Wort rinnen – rennen, und „stig" bezeichnet einen Stieg – ansteigenden Pfad. Rennen auf ansteigendem Pfad, das nun war keinesfalls eine thüringer Besonderheit; immerhin ist die ebenso stattliche wie erstaunliche Zahl von 200 für Deutschland so gut wie verbrieft. Aber: Keiner dieser Rennsteige hat eben einen Tannhäuser in seinem Weichbild aufzuweisen oder einen edlen Ritter ähnlicher Güte. Und auch in anderen Hinsichten ist der ansteigende Pfad des Thüringer Waldes etwas Besonderes geworden gegenüber den restlichen 199. Fürsten und Feldherren setzten ihren Fuß auf seinen leicht federnden, zuweilen sumpfigen, vielfach steinigen Boden oder wenigstens den ihrer Rösser. Die Namen unsterblicher Geister sind mit ihm verbunden wie die Schicksale von Wäldern und Wegelagerern.

Ehe es aber so weit war, mußte dieser Kammweg Profil gewinnen; nicht nur morphologisch, sondern historisch, politisch, ethnografisch. Und das hängt wohl zusammen mit Thüringens Aufstieg und Niedergang, seinem Glanz und Elend. Thüringen, es war von etwa 400 bis 531 ein Königreich, dem bis zum 9. Jahrhundert mehrmals Herzogtümer folgten. Von 1130 bis 1247 regierten die Landgrafen, ehe das Land von wechselnden Herren beherrscht wurde – Henneberger und Hessen und Sachsen vor allem. Ende des 18. Jahrhunderts teilten sich elf thüringer und vier außerthüringer Staaten in das Territorium rund um den Rennsteig, die aus über hundert Sprengeln bestanden. Und siehe da: Die Blütezeit des Rennsteigs hatte begonnen; seine Größe wurzelte in der Thüringer Kleinheit. Wenn nicht rücksichtslose Egoisten in den letzten Jahren ihre Zahl durch Diebstahl vermindert hätten, dann müßten den Rennsteig noch heute rund 1300 Steine markieren, darunter 13 Dreiherrensteine, wo also jeweils drei Ländlein aneinanderstießen. Der Thüringer Rennsteigverein Neustadt/Rennsteig hat 1990/91 die Steine in der Gemarkung des Ortes gezählt; es sind 64, und sechs davon stehen mitten im Ort! Als 1918 die feudale Kleinstaaterei beendet wurde, entstand das Land Thüringen aus den folgenden Herzogtümern: Sachsen-Weimar-Eisenach, Sachsen-Meiningen, Sachsen-Gotha, Sachsen-Altenburg, Schwarzburg-Rudolstadt, Schwarzburg-Sondershausen und Reuß.

In besagtem Neustadt wurde der Rennsteig zur Dorfstraße und – Landesgrenze. Auf der einen Seite Schwarzburg-Sondershausen, auf der anderen Sachsen-Meiningen, und das von 1698 bis 1924. In dieser Zeit gab es zwei Neustadts, zwei Bürgermeister, zwei Kirchen, zwei Schulen, zwei Friedhöfe. Früher als anderswo lernten die Kinder, daß es zweierlei Menschen gab . . . Der Rennsteig hier war eine Zwietrachtsgrenze und trennte noch auf lange nach der Ortsvereinigung feindliche Geschwister. Was mal einen Abgeordneten Ende der zwanziger Jahre veranlaßte zu sagen: „Die eine Hälfte der Gemeindevertreter sind Spitzbuben", worauf ihn der Bürgermeister aufforderte: „Das nimmst du zurück!" „Gut", berichtigte sich der Schelm, „die eine Hälfte sind keine Spitzbuben." Natürlich gab es auch für die zwei Rinderherden des Ortes zwei Hirten. Weshalb der Ortsdiener mal mit der Ortsschelle bekanntgab: „Heute abend findet bei Lusky die Hirtenwahl der SS statt." Damit gemeint waren die *Sch*warzburg-*S*onderhäuser Rinder.

Ob der Ort Blankenstein (414 m über NN) Anfang und Hörschel (199 m) Ende des Rennsteigs ist oder umgekehrt, soll unerörtert bleiben. Markiert ist sein Verlauf durch diese beiden Punkte: Die Selbitzbrücke (415,5 m) – ganz genau deren Mitte – und die Werra-Fähre (Uferhöhe links 196,3 m), wo die Hörsel in die Werra mündet. Seine Länge ist mit 168,3 km vermessen; er rennt von Nordwesten nach Südosten, von der Werra bis zur Saale. Die erste zusammenfassende Beschreibung verdanken wir Christian Juncker, der 1703 schrieb:

„Es kann dieser Weg fast überall befahren, beritten und begangen werden und sieht einem Hohlweg gleich, daher er insgemein nur denen Forstbedienten und Waldleuten, sonst aber wenig Inwohner des anliegenden Landes bekannt ist. Er wird von jedes Forst Bedienten mit seinem Grenznachbar, wo er durchpassiert, in Räumung und baulichen Wesen erhalten damit er nicht verwildere."

Landvermesser von Ernst dem Frommen, Herzog von Sachsen-Gotha (1661–1675), hatten Steigen, Fallen und Verlauf jenes Pfades in der Mitte des 17. Jahrhunderts erkundet, markiert und kartiert. Der fromme Ernst ließ ihn zu einem Ganzen verbinden und plante seine Einrichtung als Kurierpfad und Heerstraße. So schmal und zuweilen engbrüstig wie er damals noch viel mehr war als heute, hätte dieser Kriegspfad herzogliche Truppenbewegungen lediglich im Gänsemarsch oder bestenfalls in Zweierreihen gestattet. Jedoch: Ein gothaischer Herrbann ist diesen Weg auf den Höh'n nicht gegangen, jedenfalls nie auf einem angemessenen Stück.

Dafür kam bald das Durchmessen dieser 168,3 Kilometer im Sinne und mit dem Ziel der Entspannung und als Naturerlebnis in Schwang. Daß die Verdienste dafür einem Berufssoldaten im Dienste von Sachsen-Gotha zufielen, hat den menschenfreundlichen Zweck seines Werkes nicht beeinträchtigt; Julius von Plänckner (1791–1858). In Penig (Sachsen-Altenburg) geboren, trat er in sachsen-coburg-gothaische Dienste, kämpfte durch das Bündnis seines Landes- und Kriegsherrn auf der Seite Napoleons bei Brixen und Sterzing gegen den Tiroler Volkshelden und Sandwirt Andreas Hofer, in Spanien und Rußland. Nach der Völkerschlacht bei Leipzig, als sein „göthischer" Herzog wie andere deutsche Fürsten eine Kehrtwende für angebracht hielt und an die Seite der Verbündeten trat, zog er mit nach Frankreich. 1842 wurde er Oberst und Regiments-Kommandeur in Gotha. Mit den Feldzügen von 1814 und 1815 hatte er seinen militärischen Zenit erreicht, danach wurde er zum Erforscher des Thüringer Waldes und zum Kartografen des Rennsteigs. 1830 fertigte er eine Ansicht, Beschreibung und Tageseinteilung des nordwestlichen Thüringer Waldes und des Rennsteigs an. Seine Distanz legte er fest vom Förthaer Stein bis Rodacherbrunn und nannte die Strecken bis Hörschel und Blankenstein Fortsetzungen. Für den Soldaten Plänckner darf die exakte Marschdauer für seinen Rennsteig nicht fehlen; es sind 43,5 Wegstunden an fünf Tagen. Bühring und Hertel schreiben in ihrem Büchlein „Der Rennsteig des Thüringer Waldes": „Soweit bisher bekannt ist, ist Plänckner hiermit nicht nur der erste, der die Rennsteigreise unternommen hat, sondern auch zugleich der Begründer der modernen Rennsteigforschung. Aus seinen knapp gehaltenen, aber zuverlässigen Angaben schöpfen die Späteren, oft ohne Nennung ihrer Quelle."

Zwei Stellen des Kammwegs bewahren die Erinnerung an den ersten Rennsteiger vom Dienst. Von 1830 bis 1832 leitete er den Bau der Straße von Gotha über Oberhof nach Zella-Mehlis und Suhl. Wo sie den Rennsteig kreuzt, steht ein Obelisk, im Volksmunde Rondell genannt, mit dem Spruch: „Ernst Herzog zu Sachsen erbaute diese Straße zur Höhe des Gebirges 2572 Par Fuß in den Jahren 1830–1832." Auf der anderen Seite des Steins werden die tatsächlichen Bauherren genannt, darunter: J. v. Plänckner, Capitaine. Das Rondell wurde zum Symbol der Einigung Preußens mit Thüringen in wirtschaftlicher Hinsicht.

Sachsen-Meiningen und -Gotha gestatteten den Preußen auf zwei Straßen über den Thüringer Wald zollfreien Verkehr, eine davon war die am Rondell. Eine andere Gedenktafel hatte Plänckner ganz für sich allein. Sie steht am Südhange des Großen Beerbergs, dem mit 982,1 m höchsten Berg des Thüringer Waldes, in 970 m Höhe dicht über dem Rennsteig: Plänckners Aussicht. Die ist heute in Richtung Goldlauter-Heidersbach nicht mehr so toll wie dazumals; sondern allmählich zugewachsen. Wer in Blankenstein zur sogenannten Runst über den Rennsteig aufgebrochen war, hatte bei Plänckners Aussicht 99,4 Kilometer und damit weit über die Hälfte geschafft. Die Ansicht, diese Aussicht nach Plänckner zu benennen, hatte ein gewisser Major A. W. Fils 1859 in „Petermanns Mitteilungen" (Justus Perthes, Gotha) geäußert. Und der Rennsteigverein schließlich brachte am 13. November 1898 eine Tafel mit der Inschrift an: „Julius von Plänckner, aus Gotha, geboren 1791, gestorben 1858. Dem Erforscher des Thüringerwald-Gebirges gewidmet vom Rennsteig-Verein 1898."

Dieser Verein der unverbrüchlichen Rennsteigfreunde gebar die Idee von der großen Runst. Den Aufruf zu seiner Gründung hatte Prof. Ludwig Hertel ins Fremdenbuch des Waldhauses Weidmannsheil am 3. Oktober 1892 geschrieben. Knapp vier Jahre später, am Pfingstsonntag, dem 24. Mai 1896, vollzog sich die Gründung des Rennsteig-Vereins, der das Waldhaus zu seinem Stammsitz machte. Fortan erging an alle Renner der Ruf, sich zu Pfingsten in Hörschel oder Blankenstein zu sammeln zu fröhlicher und großer Runst. Das erwies sich zur Sommerszeit als relativ einfach; für gewöhnlich brauchte ein durchschnittlicher Renner sechs Tage für die

168,3 km. Bei Schnee wurde das schon schwieriger. Der Kunstmaler Stärck/Holstein und der Erfurter Fotograf Rudolph traten im Januar 1907 zur ersten Skiwanderung über den Rennsteig an. Bei Brennersgrün verlegten den beiden umgestürzte Tannen den Rennweg; 30 km vor dem Ziel brachen sie ihr Vorhaben im Schneesturm ab. Mitglieder des Rennsteig-Vereins starteten neue Versuche, sie scheiterten 1911 im Regen, 1912 wegen Schneemangel; 1914 kamen die Skirenner immerhin von Hörschel bis Grumbach über 152 km. Erst 1923 gelang ein Sieg über die Unbilden des Gebirges im Winter. Vom 6. bis 8. Januar schaffte der Erfurter Gustav Räther die Skirunst komplett in 28 Stunden und 27 Minuten.

Räther repräsentierte nicht den Rennsteig-, sondern den Thüringer Wintersport-. . . Verein, eh, Verband natürlich, der am 22. Januar 1905 in Oberhof gegründet worden war. Norweger wie Ing. Hagbert Steffens, Rolf Wiborg Thune und Premiereleutnant Gröndahl hatten den Sport der langen Latten am Rennsteig populär gemacht und mit Lehrgängen für Zulauf gesorgt. Oberhof als Zentrum richtete schon im Februar 1906 das erste Thüringer Verbandssportfest der Skiläufer und einen Monat später das erste deutsche Bobrennen aus. Am 3. Februar 1906 vollzog sich auf Ski auch das erste Rennsteigrennen vom Inselsberg nach Oberhof über 30 km, 1922 folgte die Premiere eines bis heute in der Welt einmaligen Staffellaufs; in elf Abschnitten ging es über hundert Kilometer vom Glöckner bei Ruhla bis zum Ehrenmal des Thüringer Wintersport-Verbandes bei Ernstthal.

Oberhof wuchs als Wintersportzentrum zu internationaler Geltung und richtete 1931 die sogenannten FIS-Rennen aus, die

So begann die Geschichte des Rennsteigvereins

Aufruf!

Der Unterzeichnete wendet sich hiermit an gleichgesinnte Rennsteigfahrer mit dem Vorschlag bez. Ersuchen, einen

Rennsteigverein

zu bilden.

Zweck des V. ist völlige Erschließung des Rennsteigs durch Kenntlichmachung des ganzen Weges; Aufforderungen in diesem Sinne an benachbarte Touristenvereine in Thüringen u. Franken;

Anlegung eines goldenen Rennsteigbuches zur Eintragung von litterar. Beiträgen über Verlauf der Bergpfade, empfehlenswerte Gastwirtschaften, Sammlung aller auf den R. bezügl. Schriftwerke, Bilder u.s.w.

Ord. Mitglied kann nur ein echter Renner werden, der die Absicht hat, den Weg in seiner ganzen Ausdehnung von Werra bis Saale in einer zusammenhängenden Fahrt durchrennen hat.

Beiträge: jährl. mindestens 1 Mk, oder einmaligen Beitr. v. mind. 5 Mk.

Beschlüsse über Verwendung werden durch Rundschreiben gefaßt.

Der Verein gilt als gebildet, sofern ein Vereinsvermögen von 50 Mk. angesammelt ist.

Über Vermögensstand hat der zu wählende Vorstand alljährlich einen Rechenschaftsbericht an die Stammburg des Vereins,
Försterei Waldhaus
zur Kenntnisnahme der Genossen einzusenden.

Freunde der im obigen ausgeführten Gedanken, der auch der Abänderung fähig ist, bitte ich, sich mit mir ins Einvernehmen zu setzen.

Waldhaus, 3. Okt. 1892.

Dr. Ludw. Hertel
Gymnasiallehrer

später vom Internationalen Ski-Verband (FIS) in den Rang von Weltmeisterschaften erhoben wurden. Sprunglaufsieger bei seiner ersten internationalen Meisterschaft wurde der 17jährige Norweger Birger Ruud auf der Hindenburgschanze, der späteren Thüringenschanze. Der Flieger aus Kongsberg wurde danach immerhin zweimal Olympiasieger und noch viermal Weltmeister. Guten Freunden erzählt der in Sandvika bei Oslo lebende Ruud eine Begebenheit von Oberhof 1931. Zur Siegerehrung in der Kirche hielt FIS-Präsident Holmquist (Schweden) die Abschlußansprache, und Birger Ruud saß wie die anderen Gewinner – übrigens ausnahmslos Norweger – auf der ersten Bank. Als ihn plötzlich ein Wind zu quälen begann! Die Absicht, ihn unbemerkt entweichen zu lassen,

schlug deshalb fehl, weil Holmquist gerade in dieser Sekunde in seiner Rede innehielt. Das Geräusch wurde mit Totenstille quittiert. In die hinein sagte Ruud entschuldigend: „Herr Präsident, so laut war es nicht gedacht."

Vergessen worden ist eine bis heute nie wieder erreichte Leistung. Im Mai 1913 nahm ein Eisenacher namens Max Raebel an der Runst von Blankenstein nach Hörschel teil. Er schaffte sie in sage und schreibe 32 Stunden und 45 Minuten – bei nur einer Übernachtung in Neustadt am Rennsteig nach 79,3 km. Der Sohn eines Musikers hatte viele Jahre in Skandinavien gelebt und oft Expeditionen nach Spitzbergen unternommen. Schon 1891 lief er die 25 km von Eisenach auf den Inselsberg mit 2,80 m langen Lappenski und gewann noch

Diese Gedenktafel im Waldhaus „Weidmannsheil" erinnert an die Gründung des Rennsteigvereins am 24. Mai 1896

Der Topograph Julius von Plänckner, der „Ahnherr des Rennsteigvereins"

1927 den Rennsteiglauf Inselsberg – Oberhof in seiner Altersklasse. 1946 starb er 72jährig völlig verarmt und vergessen in seiner Vaterstadt Eisenach.

Nach 1945 wurde es still und stiller um die große Runst; der Rennsteig berührt in seinem Lauf ja auch bayerisches und nach 1949 demnach bundesdeutsches Gebiet. Mit päpstlicher Unfehlbarkeit des obersten Schieferdachdeckers der DDR sollte eher ein weißer Stab wieder ausschlagen als der Rennsteig in voller Länge wieder begehbar sein. Am 28. April 1990 aber vollzog sich über die Schildwiese bei Kleintettau die erste grenzüberschreitende Wanderung auf dem Rennsteig nach mehr als vier Jahrzehnten. Die Zielankunft an der Kalten Küche bei Spechtsbrunn feierten die alten und jungen Renner bei Blasmusik und Bratwurst. Die Wende auch am Rennsteig.

Bratwurstduft und Blasmusikklang künden alljährlich im Mai von der einmaligen und massenhaftesten Eroberung des Rennsteigs auf sportliche Weise. Als 1973 vier unentwegte Jenaer auf der Hohen Sonne bei Eisenach zu einer Rennsteigtour über 100 km – im Dauerlauf – antraten, ahnte wohl keiner, daß daraus Europas größter Cross werden würde. Der Guts-Muths-Rennsteiglauf ist es; mit zwei Starts und einem Ziel: Schmiedefeld am Rennsteig. An der Hohen Sonne liegen rund 70 Kilometer vor den Langstrecklern, wenn sie um sechs Uhr starten; in Neuhaus sind es 45 – ab zehn Uhr. Volksfest am Thüringer Kammweg! Rund zehntausend gaben in den letzten Jahren ihre Meldung ab, seit 1990 auch Tausende aus den alten Bundes-

Der Wegbereiter der Rennsteigforschung August Trinius.

Prof. Dr. Ludwig Hertel, der Verfasser des Aufrufes und Gründer des Rennsteigvereins.

ländern, denen dieser sagenhafte Höhenweg und der noch sagenhaftere Lauf bis dahin verschlossen waren.

Wer in päpstlicher Unfehlbarkeit einer Mauer um die Menschen hundertjähriges Bestehen prophezeit hatte, wurde eines Besseren belehrt; auch am Rennsteig trieb ein dürres Stück Holz wieder Äste. Und den Rennsteig in seinem Lauf hält weder Ochs' noch Esel auf.

Für die erwähnte Absicht, den Rennsteig zu einem Weg für schnelle Truppenbewegung zu machen, waren wohl das Herzogtum Gotha zu klein und der herzogliche Arm zu kurz. Krieg und Kriegsgeschrei, Blut und Tod aber hat der Kammweg ausgiebig erlebt und seine Bevölkerung schmerzhaft erlitten. Soldatengräber aus dem zweiten Weltkrieg säumen seinen Lauf; manches Kreuz mit dem Stahlhelm hatte doktrinäre Gefühllosigkeit vor Jahren beseitigen lassen wie an der Schmücke, manches aber wie am Mönchshof ist wieder aufgerichtet zum Gedenken an den einfachen und unbekannten Soldaten, der sein Leben zwar für ein menschenfeindliches Ziel einbüßte, um den aber doch Menschen trauern. Und trauern dürfen.

Die Frauenwälder schämen sich nicht, wenn hämische Nachbarn sie „Frawäller Hose" nennen, weil sie sich aus Angst wie die Hasen im Dreißigjährigen Kriege vor den Landsknechten Tillys und Aldringens im Wald verborgen hatten. Wenigstens retteten sie so ihre Haut. Die Neustädter auch, als sie der Sage nach vor den anrückenden kaiserlichen Scharen in ein abseitiges Tal flohen. Die beutegierigen Söldner aber machten sich mit Hunden auf die Suche nach den Verborgenen. Und schon hörten die verängstigten Menschen die hechelnde Meute heranstürmen, als einer aus Angst ein Vaterunser gen Himmel schickte.

Es wurde erhört, denn die Neustädter verwandelten sich stehenden Fußes in Bäumchen. So blieben sie unbemerkt und kehrten nach Abzug des Haufens nach nochmaliger himmlischer Metamorphose in den Heimatort zurück. Jene Gegend aber heißt seit damals Vaterunsertal.

Vor Weihnachten 1289 zog mit Rudolf der erste deutsche Kaiser aus dem Hause Habsburg feierlich in Erfurt ein. Lange hielt es ihn nicht in der Stadt; der Habsburger brach zu einem Strafzug gegen die Kevernburgischen Raubritter in der Ilmenauer Wasserburg auf. Deren 29 fing er ein, um kurzen Prozeß mit ihnen zu machen. Schon am 22. Dezember rollten die Köpfe der Schnapphähne von den Erfurter Mauern. Unter dem Fuße der Geschichte dröhnte die Walderde besonders oft an der Kalten Küche (689 m) bei Spechtsbrunn. Es war eine Ausspanne auf der alten Straße von Nürnberg über Coburg bis Saalfeld und Leipzig, die auch als „Coburger Paß" bekannt war. Als Kaiser Karl V. am 24. April 1547 die Schlacht bei Mühlberg und damit faktisch den Schmalkaldischen Krieg gegen die renitenten evangelischen Fürsten gewonnen hatte, vollzog sich über diesen Paß seine Heimkehr. In seiner Begleitung der erste spanische Grande und erbarmungslose Kriegsmann Alba, Herzog von Toledo, und der erbarmungswürdige Kurfürst von Sachsen Johann Friedrich als Gefangener, der nicht nur den Krieg, sondern auch die Krone verloren hatte an seinen ebenfalls protestantischen Vetter Herzog Moritz – im Glauben auf der einen, im Kriege auf der anderen Seite. Karl V. hatte 1521 im Wormser Edikt die Reichsacht über Martin Luther verhängt, dessen Rennsteig-Überquerungen Legion waren, wie wir später erfahren werden.

„Durch" die Kalte Küche zogen schon

vor Karl V. viele Fürsten; 1457 Herzog Wilhelm der Tapfere und Kurfürst Friedrich der Sanftmütige von Sachsen; 1474 König Christian von Dänemark auf seiner Reise nach Rom; Herzog Wilhelm von Sachsen 1480 und 1483. Der 30jährige Krieg grub seine blutigen Spuren ein und der Siebenjährige Krieg. 1757 überquerten ihn Streifkorps von Friedrich II., und die Reichsarmee vollzog hier ihren geschickten Rückzug nach der Schlacht von Roßbach 1757, als sie von Friedrichs Truppen geschlagen worden war. Ein Marsch im düsteren November und in drei Säulen über Neuhaus-Igelshieb, die Kalte Küche und Steinbach am Wald. Diese Armee eines

Dr. Julius Kober.

deutschen Fürstenbundes gegen Preußen zog sich 1761 von Arnstadt nach Saalfeld zurück, um dann vor den preußischen Truppen über das Gebirge zu entweichen. Aber die Nachhut wurde bei Saalfeld gefaßt, und die anderen entkamen über Gräfenthal.

In die Geschichte und die Kriegsgeschichte ein ging der „Coburger Paß" durch den Überrgang der Franzosen im Jahre 1806 mit zwei Armeecorps (Angereau, Lannes), während andere Teile des napoleonischen Heerbanns über Kronach – Lobenstein – Schleiz (Napoleon selbst, Bernadotte, Davoust) und Hof – Gera (Ney, Soult) jener historischen Schlacht bei Jena und Auerstedt entgegenzogen, die Preußens Geltung vorerst auslöschte. 1813 hatte sich die Lage wieder geändert, als das York'sche Heer bei Zollstock nahe der Hörselberge das französische Korps von Lefebure angriff. Über den Förthaer Stein zog Napoleon selbst im Frühjahr des gleichen Jahres, um im Herbst an gleicher Stelle seinen Rückmarsch zu nehmen. Den Rennsteig und seine Übergänge zum Kriegspfad machten Franzosen und Schweden im Nor-

Jugendbildnis des „Mareile".

dischen Krieg 1706 zwischen Kahlert und Gießübel. Auf Frauenwald rückten im September 1631 Kaiserliche Truppen unter Aldringen im Dreißigjährigen Kriege vor, drangen in den Wald ein, um sich sodann zurückzuziehen, als sie von Tillys Niederlage bei Breitenfeld (7. – 17. 9. 1631) erfuhren. Der Schwedenkönig Gustav Adolf

Beim Rennsteigverein in Zapfendorf ist die Traditionsfahne der Thüringer Berg-, Burg- und Waldgemeinden in guter Obhut.

Hoch über dem Bergdorf Sonnenstein thront die gleichnamige Burg.

selbst zog vom 27. auf den 28. September 1631 von Arnstadt/Ilmenau nach Schleusingen und noch einmal über den Wald im Oktober des gleichen Jahres nach Arnstadt. Nach dort hatte Herzog Ernst der Fromme das Eintreffen des Königs in Frauenwald vermeldet und Proviant für das gefräßige Heer angefordert. Gustav Adolf teilte am 23. Oktober dem Fürsten Johann Georg mit, es habe „der Dhüringer Waldt ziembliche Beschwerde gemacht . . .“ Was erst sollten die friedfertigen und weltenferner Wäldler über all jene „ziemblichen Beschwerden“ gedacht haben? Der 30jährige Krieg war nur wenige Jahrzehnte vorbei, als 1675 der Große Kurfürst, Friedrich Wilhelm von Brandenburg (1620–1688), mit dreifachem Heerbann über die Rennsteigpässe zog; bei Crawinkel/Oberhof, Eisenach/Förthaer Stein und Ilmenau/Schleusingen. Den geistigen und kriegerischen Ahnherren von Preußens Gloria plagte in Ilmenau die Gicht. Nichts von Bedeutung gegenüber den Plagen für das Waldvolk.

Im zweiten Weltkrieg wurde um den Rennsteig als strategische Größe noch vor Ostern 1945 gekämpft. Allerdings waren es die letzten verzweifelten Zuckungen eines geschlagenen Hitler-Heerbannes, während die waffenstarrende US-Armee in jede Ecke, aus der sich eine Kugel in ihre Richtung verirrte, schweres Geschütz abfeuerte. So sanken das Oberhofer Schloßhotel und das schöne Ausflugsrestaurant Veilchenbrunn in Schutt und Asche; bis heute sind sie nicht wieder aufgebaut. Auf dem Sperrhügel (881) stand im Kriege ein Fliegerturm, in dem eine ständige Besatzung nach feindlichen Geschwadern Ausschau hielt. Menschenhand und Unverstand demolierten ihn in den darauffolgenden Jahren, dabei hätte er dem friedlichen Auge so viel Schönes offenbaren können.

Von da reichte der Blick des staunend-erregten Knaben bis zum Kasseler Schloß Wilhelmshöhe. So hatte man Schönheiten des anderen Teils von Deutschland nicht mehr im Blick, als man die Einheit auf beiden Seiten nicht mehr im Blick hatte.

Andere Berge des Thüringer Waldes wurden im zunehmend kälter werdenden Kalten Kriege zu Spähstationen sowjetischer und DDR-deutscher Truppen. Anfänglich blickten die Berg-Befehlshaber noch darüber hinweg, wenn in ihrem Weichbild manche Spuren im Schnee hinaufzogen zu steiler Höh'; später wurden zum Leidwesen aller Renner die Bannmeile um die radarstarrenden Gipfel immer ausgedehnter und weite Gebiete des Waldes für den Wanderer oder Pilzsucher zur terra incognita. So geschah es mit dem mächtigen Schneekopf (978 m) und dem Großen Finsterberg (944,2 m). Beherzte Suhler, Goldlauterer und Schmiedefelder drangen im Frühjahr 1990 in die gesperrten Areale vor und erreichten in Gesprächen mit den sowjetischen Kommandanten die frühe Öffnung uralter romantischer Rennsteigräume.

1850 gesetzt und sorgsam restauriert – der Obelisk Wasserscheide.

Gebrandschatzt und getötet wurde am Rennsteig nicht nur in Kriegszeiten, „denn im Wald da sind die Räuber . . ."! Und „der Wilddieb, der schlaue, hält fest in der Hand sein Gewehr" . . ., heißt es in einer noch heute in feuchtfröhlicher Stunde aufgelegten Volksweise. An der Bilbertsleite (841 m) in der Nähe von Steinheid hauste einst der Räuber Bilmer, der des Weges kommende Leute überfiel. Und damit ihm kein Opfer entging, hatte er Fäden über den Rennsteig gespannt, die mit einem Glöcklein in seiner Höhle verbunden waren. Wenn es bei Bilmer läutete, hatte einem Menschen die letzte Stunde geschlagen. 99 verloren so durch den erbarmungs-

Buntfarbiger Dreiwappenstein bei Schauberg.

losen Bilmer ihr Leben. Bis auch er schließlich an seinen Meister geriet; es war ein Student aus Jena, der meisterlich zu fechten verstand. Der legte den Räuber glatt aufs Kreuz, band ihn und führte ihn nach Sonneberg zum Blutgericht. Bilmer, Bilwitz, Bilsen, Bilber erklären Sprachforscher mit dem gotischen Wort balvavesei (Bosheit) und dem altsächsischen baluwiso (Teufel).

Keine Legende, sondern Geschichte rankt sich um den Dietzel-Geba-Stein bei Oberhof, der auch Hessen- und Scheffelstein heißt, aber heute öfter und einfach Stein 16 genannt wird. Juncker teilt über ihn aus der Beschreibung der Cent Benshausen durch Balthasar von Ostheim 1548 folgendes mit: „Ehe du nun in die Meliser Straße (Zeller Läube) trittst, so siehe dich um und merke darauf, da ist vor 50 Jahren – also 1498 – einer gerichtet worden, mit Namen Dietzel von Geba. Der ist durch Hansen Zolner, Amtmann zu Hallenburg, zu Melis gefänglich angenommen und gen Hallenburg in den Turm geführt; Ursach, daß er hat uf der Meliser Straße auf dem Walde tötlich angegriffen. Dem sollt uf der Zent Benshaus sein Recht geschehen sein, da haben sich die Herren verglichen, daß derselbige, Dietzel von Gebe uf der Grenz daselbst, da der Rennsteig in die Meliser Straße eingehet, sollt gerichtet werden . . . Und da dieser Dietzel von Gebe ist gericht worden, da sind die Amtsleute von Schmalkalden, der Amtmann von Hallenburg, Claus Schreiberer von Ohrdruf vom Crafe Sigmund von Gleichen wegen, der zu der Zeit den Schwarzwald hat innen gehabt, von des Kurfürsten wegen, dabei gewest."

Nach Jahren der Abwesenheit ist der Jägerstein im Sommer 1990 wieder in sein altes Revier am Schneekopf zurückgekehrt; die Jahre der sowjetischen Diaspora rund um den stattlichsten Berg des Thüringer Waldes waren zu Ende, und so gruben Gehlberger Heimatfreunde den Stein am Adler aus und brachten ihn zum Schneekopf zurück. Die ihm eingemeißelte steinerne Botschaft lautet, der F:S:F: (Fürstlich Sächsischer Förster) Johann Valentin Grahner zu Gräfenroda sei durch seinen Schwestersohn Caspar Greiner unversehends erschossen worden. Die Sage bemächtigte sich auch dieses am 16. September 1690 geschehenen Unglücks. Danach sei der Onkel neidisch auf die Schießkunst des Neffen gewesen, der als bester Schütze auf dem Thüringer Wald galt. Fürchtete der bis dahin fest in fürstlichen Diensten stehende Waldmann die junge Konkurrenz und eine damit drohende Kurzarbeit null? Jedenfalls ließ sich der Alte von einem Waldweibe in einen Vierundzwanzigender verwandeln, der nun dem jungen Greiner entgegentrat. Freilich mit dem sicheren Wissen, daß die Zaubertränklein der Hexe die Kugel des Meisterschützen unwirksam machen. Und tatsächlich traf nun der Neffe den stets in der Abenddämmerung aus dem nahen Gebüsche am Schneekopf tretenden stolzen Hirsch nicht mehr. Ehe er sich jedoch ganz zu einem Caspar machen lassen wollte, ließ er sich von einem Gehlberger Meister – natürlich bei Vollmond und um Mitternacht – eine gläserne Kugel gießen. Als der Hirsch abends darauf wieder stolz sein Geweihe emporhob, schmetterte ihn der gläserne Schuß nieder – Glas aus dem Thüringer Wald ist für seine Güte bis heute berühmt –, „und der Förster lag sterbend im Sand", wie es im genannten Wilddieblied heißt. Es war das eine ganz besondere Schneekopfkugel; andere gab es früher zu Tausenden, nämlich die Porphyrdrusen, in denen sich Halbedelsteine wie Amethyst, Jaspis, Hornstein, Achat und andere kristallene Köstlichkeiten verbargen. Heute sind die seltener geworden.

Wollen wir mit dem Forstwart Eduard Birnstiel die Beispiele von Mord und Totschlag am Rennsteig beenden, der am 19. Mai 1894 bei Brennersgrün von Wilddieben erschossen wurde; man fand ihn im Rohrbach (Revier Lehesten) mit einem Schuß im Unterleib und mehreren Messerstichen im Hals. Birnstiel ruhte auf einem Friedhof nahe des Rennsteigs; er hatte 1893 zusammen mit Ludwig Hertel die Rennsteigstrecke Brennersgrün – Ziegelhütte markiert.

Ein Kidnapping von wahrhaft welthistorischem Gewicht wurde nach offensichtlich sorgfältigem Plane am 4. Mai 1521 zwischen Inselsberg und Ruhlaer Häuschen auf der Altensteiner Straße ausgeführt. Nichtsahnend reiste ein Mann namens Martin Luther an diesem Tage von Möhra, wo er Verwandte besucht hatte, nach Gotha, allda Gefährten ihn erwarteten, mit denen er vom 17. bis 25. April in Worms vor Kaiser Karl V. gestanden und mit den berühmten Worten „Hier stehe ich, ich kann nicht anders" den Widerruf verweigert hatte. Der Reformator und Begründer des Protestantismus sollte an jenem Tage aber nur bis an die Wallfahrtswiese an der „Walper" kommen, als er überfallen wurde. Wie sich später zeigte, war es ein Menschenraub für Gotteswort, denn Luther wurde auf die Wartburg gebracht, womit ihm bis März 1522 Zeit blieb, um als Junker Jörg (gewissermaßen als IM seines Kurfürsten Friedrichs des Weisen von Sachsen) die Bibel ins Deutsche zu übersetzen. Es dauerte bis 1534, ehe die erste Gesamtausgabe der Lutherbibel auf dem Markt war, der sich nicht zuletzt durch dieses Buch langsam als gesamtdeutscher entwickeln sollte. Dank der WEISEN Voraussicht sei-

nes Landesherren war Luther den üblen Folgen des Wormser Edikts vom 26. 5. 1521 entgangen, das ihn mit der Reichsacht belegte.

Oft kreuzte er noch den Rennsteig, nachdem 1531 von protestantischen Fürsten der Schmalkaldische Bund gegründet worden war, dessen Chef(ideo)theologe Martin Luther war; maßgeblich beteiligt an der Abfassung der Schmalkalder Artikel, dem politischen und religiösen Bekenntnis dieses Bundes. Am 26. Februar 1537 kam Luther über den Rennsteig an der Neuen Ausspanne zwischen Schmalkalden und Tambach, von einer Tagung des Schmalkalder Konvents. Ihn plagten Steinbeschwerden, und der Schmerz ließ ihn schließlich aus einem Brunnen kurz vor Tambach trinken. Siehe da, tags darauf besserte sich sein Zustand, so daß er frohgemut an seinen in Schmalkalden gebliebenen Freund und Mitstreiter Melanchthon schrieb: „Dieses (Tambach) ist mein Phanuel, der Ort meiner Genesung und Heils, da der Herr mir erschienen." Nicht nur in diesem Falle erweist sich das Wasser des Thüringer Waldes als urgesund und wohlschmeckend. Natürlich hieß die Quelle fortan Lutherbrunnen. Luther tat in guten wie in schlechten Tagen stets nach eigener Mahnung: „Ein jeder lern' seine Lektion, so wird es wohl im Hause stohn."

Nachdem nun soviel bekannte Gestalten „diesen Weg auf den Höhn" in unserer kleinen Nachlese gegangen sind und noch viel mehr unbekannte, ungenannte, unerkannte, mag nun auch für uns eine Runst in hundert Zeilen angebracht; vielleicht auch in ein paar mehr.

Aufbruch in Blankenstein (414 m über NN), dem früheren reußischen Dorf (nach eindringlicher Mahnung des erfahrenen Renners: nicht in gestopften Strümpfen);

schon nach 16,6 km ist man in Grumbach auf einer Höhe von 700 m, wo Peter Greuner und Christopf Müller 1616 das Gründungsprivileg für eine Glashütte erhielten, die allerdings schon 1793 wieder einging. Greiner und Müller, das sind Synonyme für die Glasherstellung und die Begründer dieses Erwerbszweig im dafür berühmten Lauscha. Nach 19,4 km passiert man die bayrisch-thüringische Grenze (früher sachsen-meiningische) und ist 900 m weiter in Brennersgrün. Der Wetzstein (792 m) gilt als Grenzsäule des Frankenwaldes, und vom Bismarckturm schaute man früher in 12 deutsche Staaten und bis nach Österreich hinein. Heute ist der Wetzstein ein radarstarrender Berg, wo eine verfehlte Sicherheitsdoktrin dem Wanderer wie an vielen Stellen des Rennsteigs den Zutritt verwehrte. Am Kilometer 22 steht der älteste und schönste Rennsteigstein, der Kurfürstenstein von 1513. Ziel junger Burschen war der Dreiwappenstein am Kießlich (723,4 m), denn an ihm pflegten sie früher ihre Messer zu wetzen, um so die Kraft dreier Herren zu gewinnen. Am Waldhaus Weidmannsheil (680 m) ist man nach 31,1 km; da wurde 1896 der Rennsteigverein gegründet. Seine Mitglieder markierten den Kammweg mit einem R, das Mareile genannt wird nach der Tochter des Weidmannsheil-Försters Sauer. Das Waldhaus ist 1989 Opfer einer Brandstiftung geworden, womit der Besitzer die Versicherungsprämie kassieren wollte, aber entlarvt wurde. An der Kalten Küche (689 m), bei Rennsteig-Kilometer 38,5 haben wir endgültig thüringisches Gebiet bis zum Ende in Hörschel betreten, nachdem wir zuvor auch im Bayerischen waren. Spechtsbrunn (682,5 m), früher Spezborn, Spakesborn, Spackesbronn genannt, liegt in der Nähe. An einem Rasenfleck namens Laubes-

hütte (830 m) führen Wege nach Lauscha und Ernstthal. 50 km sind geschafft in Igelshieb (825 m), heute Ortsteil von Neuhaus am Rennweg. Es soll 1624 durch einen Waldbrand entstanden sein. Das verkohlte Holz lockte Köhler an, die sozusagen schon Halbfertigware vorfanden. Historisch haltbar ist das nicht, auch nicht mehr nachprüfbar die Behauptung, in Neuhaus habe es früher keine Spatzen gegeben, weil keine Pferde da waren! Man zeige mir heute auch nur ein Roß, mit dem sich die Schwärme an Sperlingen überall erklären ließen. Vom nahen Bernhardtstal kommt man rechts zur Schwarzaquelle, deren Temperatur unter der Jahreszahl 1855 mit 4,8 R angegeben wurde. Am Petersberge bei Steinheid wurde früher nach Gold gegraben, ehe in Limbach (736,8 m), das zu Steinheid gehört, eine Kreuzung erreicht wird, die links in den Theuerner Grund und rechts in Schwarzatal (Scheibe-Alsbach) führt. Hier stand die älteste Porzellanfabrik in Thüringen; Herzog Ulrich von Sachsen-Meiningen erteilte 1762 an Gotthelf Greiner eine entsprechende Konzession.

In unmittelbarer Nähe des Dreiherrensteins am Saarzipfel (km 60) richtete der Rennsteigverein 1906 den Dreistromstein auf. Die Quellwasser finden sich später im Rhein (Grümpen, Itz, Main), in der Weser (Türkengründlein, Saar, Werra) und in der Elbe (Rambach, Schwarza) wieder; dort droben bei Friedrichshöhe (790 m) an der Dreierquelle und ihrem steinernen Denkmal, sind sie noch genießbar. Siegmundsburger und Friedrichshöher allerdings beanspruchen den Ursprung der Saar (links von der Straße hinter Siegmundsburg) als Werraquelle; die Fehrenbacher und Masserberg jedoch pochten auf ihre an der Köpflerwiese. In Masserberg (790 m) sind gut 70 km Rennsteig geschafft; von der Rennsteigwarte hat man einen prima Rundblick. Kahlert (770 m) als Ortsteil von Neustadt/Rennsteig liegt an der alten Straße zwischen Thüringen und Franken, Erfurt und Coburg. Weil die Neustädter noch im 19. Jahrhundert im Wald Zunderschwämme suchten und damit ihren Lebensunterhalt bestritten, heißt ihr Ort heute noch in der Gegend Schwamm-Neustadt und seine Bewohner Schwämmklopfer.

Bei Kilometer 84,2 am Großen Dreiherrenstein „ufm Pfrusche" (810 m) ist die Grenze zwischen Ost- und Westthüringen; zugleich Halbzeit der Rennsteigwanderung. Eine Rast im dortigen gemütlichen Wirtshaus wird wohl keiner auslassen. Der Stein trägt die Jahreszahl 1596; früher soll er sogar ein Vierherrenstein gewesen sein. Den Namen Franzenshütte hatte einst der Weiler Allzunah (753 m), weil ein Franz Wenzel 1691 eine Glashütte errichtete. Sie lag aber „all zu nah" an schon bestehenden, so daß sie der benachbarten Konkurrenz 1785 erlag. Der Sprung Häuser gehört heute zu Frauenwald, das schon 1317 mit den „frouwen uffe den walt" erwähnt wird. Es war ein Ableger des Prämonstratenserklosters Veßra. Kaum bekannt ist, daß die Kirche des Ortes nach Entwürfen des großen preußischen Baumeisters Karl Friedrich Schinkel (1718–1841) errichtet wurde; Frauenwald (765 m) war einst der höchstgelegene Ort in Preußen. Bei Kilometer 89,6 liegt der Bahnhof Rennsteig an der Strecke Schleusingen–Ilmenau, die an jäher Steigung bis 1927 Zahnradbetrieb aufwies. Von hier aus lohnt sich ein Abstecher zum Großen Finsterberg (944,2 m), der sich seit Himmelfahrt 1990 und der an diesem Tage erreichten Öffnung des gesperrten Areals um die sowjetische Radarstation wieder der Fürsorge Schmiedefelder Wanderfreunde erfreut, die auf dem Vorpla-

teau eine Hütte einrichteten und betreiben. Ende des 15. Jahrhunderts führte die Grenze zwischen Thüringen und Henneberg über diesen Gipfel, auf dem ein Grenzstein stand. Zuvor hat man übrigens am Binserod die Straße von Schleusingen nach Ilmenau überquert; links auf einer Hochfläche liegt Schmiedefeld vor der Kulisse des Großen Eisenberges (907,4 m) mit Lift und Liftbaude. Am Mordfleck (km 95) ist nicht etwa einer umgebracht worden, der Name ist auf das mittelhochdeutsche Wort Marter zurückzuführen, denn früher (nach Kroebel 1514) stand ein Kreuz dieses Namens hier.

Die Schmücke (914,5 m) ist seit vielen Jahren Anziehungspunkt im Sommer wie im Winter, zumal man auf dem Wiesenlatz vor der Gaststätte wunderschön Ski laufen kann. Um die Ecke haben Suhler Wanderfreunde direkt an der Rosenkopfchaussee einen gediegenen Bau errichtet, wo man preiswert nach Voranmeldung übernachten kann, die Suhler Hütte. Auf besagter Chaussee übrigens kommt man nach schöner Wanderung zur Skibaude auf dem Geiersberg und nach Heidersbach und Goldlauter. Der Schmückewirt Joel (1792–1852) starb übrigens in jenem Jahr, als der erste Schneekopfturm gebaut wurde. Die 1500 m Abstecher zum 978 m hohen Schneekopf sollte man in Kauf nehmen, zumal das Terrain jahrzehntelang nicht zugänglich war. Dort stand schon im 18. Jahrhundert ein Haus, das am 28. Juli 1799 abbrannte. In absehbarer Zeit wird auch der jetzige Turm – er überragt die 1000-m-Grenze – wieder zugänglich sein.

Der Rennsteig läuft am Südhang des Großen Beerberges (982 m – höchster Berg des Thüringer Waldes), der hier auch Großer Geiersberg genannt wird, über Plänckners Aussicht (970 m). 1831 stand

Nummer 2   Weimar, den 22. November 1929   11. Jahrgang

Wintersport in Thüringen

Zeitschrift des Thüringer Wintersport-Verbandes e. V.

Die „Schmücke"

Phot. Gustav Rüther, Erfurt

Titelseite einer Festschrift aus dem Jahre 1957.

auf dem Beerberg-Gipfel noch ein Turm des Herzogs von Sachsen–Coburg–Gotha. Bei Stein 82 erreicht der Rennsteig mit 973 m seine höchste Stelle. Die folgende Brandleite (879 m) befindet sich rund 240 m über dem Scheitelpunkt des Brandleite-Tunnels (640,42 m), der 3038,5 m lang ist. Der Tunnel auf der Bahnstrecke Erfurt–Meiningen wurde zwischen Februar 1881 und Juli 1884 gebaut und trug ebenso zum Aufstieg Oberhofs als Kurort („Thüringer St. Moritz") bei wie die Straße von Zella-Mehlis/Suhl nach Gotha, die am Rondell (862,2 m) die Höhe erreicht hat. Der Name Oberhof taucht zum erstenmal um 1470 auf. Zur „Herberge auffm Schwarzwald" die später zum Geleitshaus wurde, kamen dann ein Jagdschloß des Herzogs von Weimar (1616) und Häuschen von Holzfällern, über deren Dächer zur Winterzeit um 1850 noch Füchse und Hasen liefen. Vom 20. Juli bis 28. August 1888 besuchten die kaiserlichen Prinzen Oberhof (806 m), das nun einen stürmischen Aufstieg als Nobel-Absteige nahm. Dazu trug auch die Gründung des Thüringer Wintersport-Verbandes am 22. Januar 1905 bei. Berühmtester Oberhofer Springer vor dem zweiten Weltkriege war Hans Marr, der 1936 als Zehnter bester Deutscher bei den Olympischen Winterspielen in Garmisch war. Nach dem Kriege entwickelte sich der Armeesportklub Oberhof, seit 1991 Leistungszentrum der Bundeswehr, zum weltbesten Wintersportklub.

Über die Schützenwiese am Grenzadler geht es nun in Richtung Inselsberg. Der Rennsteig kreuzt hier die Straße von Steinbach-Hallenberg nach Oberhof, die durch den herrlichen Kanzlersgrund führt. Nur wenige hundert Meter von der Höhe hinab ins Tal, und der Wanderer steht vor der größten Mattenschanze der Welt mit einem

Schanzenrekord von 127 Metern.

Der Kammweg führt vorbei an Hoher Möst (887 m) und Donnershauk (893,5 m), die links liegenbleiben. Interessant ist der Gustav-Freytag-Stein (km 110), denn hier „am heiligen Walde nahe dem Gipfel, welcher den Opferstein des Donnerers trägt" (der Donnershauk) läßt der Verfasser historischer Romane den Sorbenhäuptling Ratiz zum letztenmal rasten vor seinem Kampf mit Ingraban. Über den Wachsenrasen, dem Standort eines steinernen Häuschens (am 20. Juni 1909 eingeweiht) und Oberlautenberg, wird der Sperrhügel erreicht. Die kurz vor diesem „Hügel" überquerte Straße verband Steinbach-Hallenberg und Rotterode mit Tambach-Dietharz, ist aber heute in schlechtem Zustand. Ein Abstecher zur Neuhöfer Wiese im Tale lohnt sich, denn bei Franz Stuber in der Jahn-Hütte ist der Wanderer stets herzlich willkommen. Der über 80jährige Hüttenwart trägt noch immer wie seit Jahrzehnten den Proviant im Rucksack von Asbach herauf. Der Sage nach schlummern im Sperrhügel (881 m) – 1586 Sperbügel, 1610 Sparbügell, 1638 Sperbersberg genannt – riesige Wassermassen. Wenn der Berg einmal untergehen sollte, ergießen sie sich in die Thüringer Ebene und begraben auch Erfurt unter sich, erzählt die Sage.

Die Neue Ausspanne (120,2 km) ist der Gipfelpunkt der Straße zwischen Schmalkalden und Tambach-Dietharz und einer der historischen Pässe über den Rennsteig. Von da an ist es nicht weit bis zur Ebertswiese, wo die Spitter entspringt; der einzige Wasserlauf, der den Rennsteig überschreitet. Auf der Ebertswiese – ein herrlicher Bergsee ist nur wenige hundert Meter entfernt – bietet sich mehrfach die Möglichkeit zur Rast und Einkehr. Hier sind 124 km der Wanderung geschafft. Auf dem

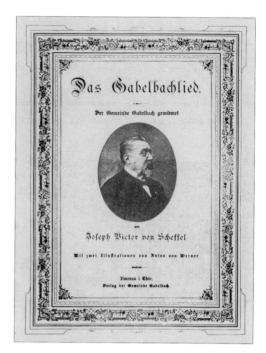

Berghotel Gabelbach um 1930.

Luftbild von Berghotel um 1930.

folgenden Abschnitt bis zum Inselsberg bieten sich öfter Stationen zum Verzehr. Im Heuberghaus um Beispiel, das zu Scheffels Zeiten auch Salzmannslust hieß, nach einem Forstmanne namens Ernst Salzmann (1792–1855), dem Sohn des Gründers von Schnepfenthal.

Der Inselsberg (916,1 m) mit seinen zwei Gasthöfen bietet die herrlichsten Rundblicke und ist der weitaus meistbesuchte Berg des Thüringer Waldes. Die Brotteroder an seinem Fuße wehren sich mit Recht gegen das s in seinem Namen, denn es hat orthografisch keine Berechtigung, wie sich außerdem auch aus der Metamorphose des Namens ergibt: Emmiseberg (1370), Encenberc (1420), Ensillbergk (1505), Emseberg (1528), Heunselberg (1640). Brotterode ist als Siedlung sehr alt – 1039 erste urkundliche Erwähnung. Man sagt, daß auf dem Insel(s)berge auf zehn schöne Abende nur ein schöner Morgen käme, umso genußvoller sind dafür die Ausblicke im deutschen Kernland. Historischer Augenblick: 1834 besuchte die Königin von England den Berg! Von hier an ist übrigens der Rennsteig keine Sprachscheide mehr.

Über den Venezianerstein (km 136,4/ 828 m), der seinen Namen den Sagen verdankt, geht der Rennsteig fortan bergab, erreicht das Ruhlaer Häuschen (629,6 m) und Zollstock (530 m), ehe bei Kilometer 153,4 die Hohe Sonne (434,4 m) zu erneutem Verweilen einlädt. Die Wilde Sau (oder Saukreuz) ist ein historischer Zeuge besonderer Art mit einem auf einer Sau reitenden Jäger. Dieser allerälteste Stein – wenn auch kein grenzmarkierender – am Rennsteig, wurde 1483 gesetzt. Der Förthaer (oder Vachaer) Stein hat Napoleons Aufmarsch im Frühjahr 1813 und seinen Rückzug im Herbst des gleichen Jahres erlebt. Links von ihm zieht der Rennsteig

vorbei. Nach 168 km ist Hörschel (199 m) erreicht, von dem der Schornlauf überliefert ist: Mädchen verfolgen im Wettlauf die Braut, und wer sie als Erste einholte, die war die nächste; in diese Brautgasse mündet der Rennsteig. Wir erinnern uns; Tannhäusers Brautgasse führte vor Jahrhunderten ganz in der Nähe für immer in den Berg. Der alte Name von Hörschel ist übrigens Hörselgemünd, das schon 932 urkundlich erwähnt wurde. Wo die Hörsel in die Werra mündet, sind 168,3 Rennsteig-Kilometer vollendet.

„Ilmenau Sonnabend d. 4. Mai 76. Eilf uhr Vor Mittag, Um diese Zeit sollte ich bey Ihnen seyn, sollte mit bey Kalbs essen und sizze aufm Thüringer Wald wo man Feuer löscht und Spitzbuben fängt, und bin, bey beyden entbehrlich aber doch da", schrieb Johann Wolfgang von Goethe an Frau von Stein nach Weimar. Sechsundzwanzigmal weilte der Fürst der Feder in Ilmenau, dreizehnmal in Stützerbach, wo Herzog Karl August und sein Geheimrat Goethe „. . . morgens Possen, abends Tollheiten" getrieben hätten, wie sein Tagebuch vermerkt. Goethe aber zog es auch in die einsamen Berge des Thüringer Waldes: „Wir sind auf die hohen Gipfel gestiegen und in die Tiefen der Erde eingekrochen und mögten doch gar zu gern der großen formenden Hand nächste Spuren entdecken . . ." und „. . . auf dem Schneekopf ist die Aussicht sehr schön.", schrieb er an die geliebte Lotte in Weimar. Aber: Vorbei waren die Zeiten der leidenschaftlichen Venus in einem Berge. Oder hatte sie mit Tannhäuser ihre ewige Liebe gefunden? Goethe, der Rastlose, suchte die große Liebe nicht in den Bergen am Rennsteig, er hatte seine Venus in Weimar. Sein innigstes Gedicht schrieb er auf dem Kickelhahn an die Wand einer Jagd-

hütte: „Über allen Gipfeln ist Ruh' . . ."
Nicht Resignation, sondern die Sehnsucht
klingt in diesen Worten auf: „. . . Warte
nur, balde ruhest du auch." Der Ruhm des
Rennsteiges ist Größe des Geistes und der
Geschichte.

„Verschollener Völker dunkle Wande-
rungen,
Kampf um den Landhag, Überfall und
Flucht,
Kriegswiese, Mordfleck, Richtstatt, manch
verklungen
Geheimnis schwebt um Waldessaum und
Kluft."

So schrieb Viktor von Scheffel, der Sänger Thüringens und Frankens. Länder, die
nun nach Irrungen und Wirrungen, Willkür
und Wende der Rennsteig wieder vereint.
Weil auch ein dürres Reis wieder grünt,
wenn es die Menschen nur wollen.

Ein Lauschaer schwebt über seinem Heimatort; Wilhelm Koob bei einem Sprung auf der Marktiegelschanze im Jahre 1923. Und mit einem solchen Hüftknick ging man damals in die Lüfte. Lauscha; ein Zentrum der Christbaumschmuck- und Glasproduktion, aber auch ein Skisportzentrum seit Jahrzehnten.

Literatur

Winter in Thüringen, 1924
Bühring & Hertel: Der Rennsteig des Thüringer Waldes, I die Wanderung, 3. Aufla-
ge 1930
Thüringen Ein Reiseverführer, Greifen-
verlag zu Rudolstadt
Wanderungen und Exkursionen im Haupt-
massiv des Thüringer Waldes, Herausgege-
ben vom Kulturbund und der Abt. Volks-
bildung beim Rat des Bezirkes Suhl
Otto Ludwig: Der Rennsteig, Greifenver-
lag zu Rudolstadt
Tourist-Wanderhefte: Lauscha-Neuhaus/
Rwg.-Steinach; Stützerbach-Schmiede-
feld; Brotterode/Pappenheim, alle Tou-
rist-Verlag Berlin-Leipzig
Reisehandbuch Thüringer Wald, Tourist-
Verlag Berlin-Leipzig 1988
Biographien zur Weltgeschichte, Verlag
der Wissenschaften Berlin 1989
Dr. Otto Adolphi: Das große Buch der
fliegenden Worte, Verlag von W. Herlet,
Berlin W-35
Weltbühne vom 13. 8. 1985
Das Mareile, Sonderausgabe 90 Jahre
Rennsteig-Verein

DER RENNSTEIG
des Thüringer Waldes
und Frankenwaldes

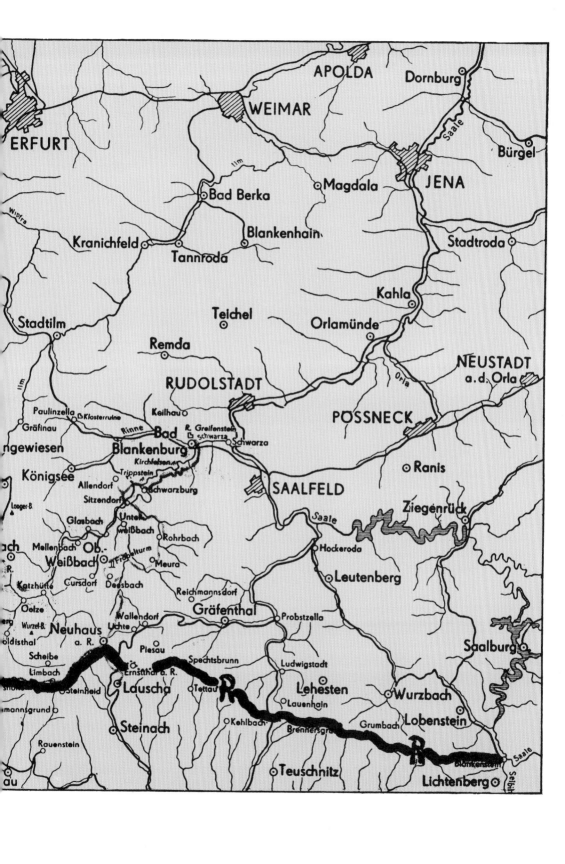

Beginn des
„Rennsteig"

R

Nach Blankenstein —
Saale 171 km.

Der Gothaer Hauptmarkt – historisch und sanierungsbedürftig.

Schloß Friedensstein in Gotha mit Türmen und Hauptgebäude, früher Herzogssitz, heute Behausung musealer Art.

Das Schloß Reinhardsbrunn ist harmonisch eingebettet in Wiesen, Wälder und Teiche; und romantische Hotelunterkunft.

Die Thüringer-Wald-Bahn bringt den Touristen von Gotha in den „Wald"

. . . von den Endstationen beginnt dann der Ausflug per pedes.

Die Wartburg war Sitz der Thüringer Landgrafen im Mittelalter . . .

. . . und erlebte als „deutscheste" aller Burgen viele Höhepunkte.

Das Burschenschaftsdenkmal in Eisenach erinnert an das Wartburgfest der Deutschen Burschenschaften am 18./19. Oktober 1817.

Das Rathaus der Wartburg-, Luther- und Automobilstadt Eisenach.

Die Werrabrücke bei Hörschel – hier beginnt der Rennsteig.

Hörschel – länger als vier Jahrzehnte eine „Diaspora" an der Grenze.

Am Dorf vorbei führt über diese gewaltige Brücke die Autobahn.

Schönes fränkisches Fachwerk wurde in Hörschel erhalten.

Die Ruine der Brandenburg in der Nähe von Hörschel.
(Seite 34/35: Schnepfenthal)

Das Buschwindröschen ist auch am Rennsteig erster Frühlingsbote.

Beobachtungen im Oberhofer Rennsteiggarten.

Die „Hohe Sonne" grüßt den Rennsteig-Wanderer durchs Blätterdach.

Am Glöckner bei Ruhla steht dieser Gedenkstein, eine „seherische" Inschrift von Forstzöglingen hinsichtlich der Franzosenkriege.

Das Heimatmuseum Ruhla; mit ihm verbindet sich der Name Ludwig Storch.

Blick auf Friedrichroda, das mit den Neubauten wohl nicht gewinnt.

Dieser uralte Baum bei Fiedrichroda wird Grenzeiche genannt.

Gewerkschafts-Ferienheim in Friedrichroda – leere Betten . . .

Von den Reitsteinen am Inselsberg hat man schöne Ausblicke.

. . . abendliche „Wotans"-Stimmung am Inselsberg bei Brotterode.

Der Rennsteig ist an den meisten Stellen seines Verlaufs gut beschildert; seit vielen Jahren ist Albrecht Lange aus Schmiedefeld/Rennsteig Südthüringischer Wegemeister.

Durch die Jungfichten grüßen die Türme des Inselsberges.

Ein entseeltes Stück Natur – toter Thüringer Wald . . .

Der Inselsberg versorgt Südthüringen mit Bild und Wort.

Die Schmücke ist seit Rennsteiggedenken beliebter Rastplatz . . .
. . . wie im Sommer auch im Winter für die Brettl-Freunde.

Parken und Laufen – Ausgangspunkt Schmücke (914 m hoch).

Nur wenige Kilometer entfernt ist der Schneekopf; jahrzehntelang als Radarstation gesperrt, seit April 1990 wieder zugänglich.

Das Rondell bei Oberhof, Wahrzeichen für den Straßenbau Zella-Mehlis–Gotha, den Julius von Plänckner leitete.

Seltener Anblick: Ein altes Haus in Oberhof, das durch die Monumentalbauten der SED-Ägide viel an Flair verlor.

Das „Rennsteig", wo früher das Kaffee Hoffmann stand. Danach nennt der Volksmund das Heim „Langer Hoffmann".

Hotel PANORAMA ist einer doppelten Sprungschanze nachempfunden und bietet in seinen Einrichtungen gemütlichen Aufenthalt. Unten: Bahnhof Rennsteig.

Das Oberhofer Wetterhäuschen ist zumeist ein „kühler" Anblick.

Weg im Rennsteiggarten, und eine Wandergruppe unterwegs.

Vielfalt der Gebirgsflora, die bietet der Rennsteiggarten. Dort kann der Naturfreund stundenlang gehen und genießen.

Rennsteigsteine aller Art bei Frauenwald (links oben), zwei Dreiherrensteine und der Dreistromstein bei Friedrichshöhe.

Wald, soweit das Auge reicht, wie in der Nähe von . . .

. . . Friedrichshöhe, dem kleinsten thüringischen Dorf.

Wenn alle Bächlein fließen – wie hier bei Manebach – . . .
. . . kann man dennoch nicht in jedem Falle auch trinken.

Seite 58/59: Werraquelle bei Siegmundburg. Die andere befindet sich bei Masserberg/Fahrenbach.

Denkmal für den Thüringer-Wald-Dichter Viktor von Scheffel im Gabelbach vor den Toren Ilme-
naus.

Das Jagdhaus Gabelbach, seit langem eine Goethe-Gedenkstätte.

Gabelbach und Kickelhahn – Goethe auf Schritt und Tritt.

Auf dem Weg zum Kickelhahn kommt man an ein kleines Waldhaus . . .

Über allen Gipfeln ist Ruh,
In allen Wipfeln spürest du
Kaum einen Hauch
Die Vögel schweigen im Walde
Warte nur - Balde ruhest du auch.

Goethe.

. . . an dessen Wand Goethe mit Bleistift sein berühmtes Gedicht schrieb.

Am Eingang von Frauenwald, am sogenannten Bohrstuhl, grüßt den Besucher dieses Monument mit dem König des Thüringer Waldes.

Architektonische Kostbarkeit; die Frauenwalder Kirche wurde nach Entwürfen von Schinkel im klassizistischen Stil errichtet.

Bungalows bei Oehrstenstock, die in die Wald-Welt passen.

Warmherzige Stimmung bei Kaltblütern auf einer Koppel bei Ilmenau.

Mit Beton – wie hier im Ilmenauer Neubaugebiet – wurden der Thüringer Wald und sein Weichbild keineswegs anziehender.

Herbstvergnügen für Kinder – das Drachensteigen.

Weideidylle; der Rinderauftrieb im Wald nahm zum Glück wieder ab.

Auf einer Bank im Wald allein, das lockt auch heute die Pärchen.

„Viel Holz vorm Haus" – sagt der Wäldler auch zu üppigen Busen . . .

In Neustadt/Rennsteig wird der Höhenweg zur Hauptstraße.

Der Wetzstein – früher stand hier der Bismarckturm, die DDR-Sicherheitsdoktrin errichtete dort eine monumentale Radarstation.

Ein Stück der unmenschlichen, unbarmherzigen Grenze bei Brennersgrün, die vom Volksaufstand im Osten beseitigt wurde.

In Lichte überspannt dieses mächtige Viadukt das Tal.

In Gräfenthal steht dieses schöne Rathaus.

Schöne kleine Bogenbrücken am lauschigen Bach in Gräfenthal.

Das Waldhaus Weidmannsheil – durch Brandstiftung eingeäschert.

Gedenkstein am Waldhaus für Dr. Julius Kober (Suhl/Zapfendorf).

Schiefer und Lehesten, das sind zwei Begriffe, die zusammengehören wie Kastor und Pollux oder Thüringer Wald und Rennsteig (siehe auch folgende Seite).

Das Gotteshaus der Schieferstadt Lehesten.

„Im Wald, im grünen Walde", so beginnt ein beliebtes Lied, das die Thüringer gerne anstimmen, wenn sie in Stimmung sind.

Frühling, Sommer und Herbst blüht es in bunter Vielfalt im Thüringer Wald und auf seinen Matten.

Der Thüringer Wald auf einer Karte in Blankenstein . . .

. . . mit der entsprechenden Legende und einem Wegenetz.

Blankenstein – die Selbitzbrücke ist der Rennsteig-Anfang.

Eine der vielen ehemaligen Grenzanlagen bei Blankenstein,

Hinweise

zur Rennsteigwanderung zwischen
Blankenstein und Lauenhain-Ziegelhütte

1. Bei der Wanderung auf diesem Abschnitt sind gültige Reise-
dokumente bei sich zu führen.

2. Die Grenzpassagen bei Grumbach -Hohe Tanne und Brennersgrün - Dreiherrenstein / Schönwappenweg sind nur für Wanderer
zugelassen. Von diesen ist nach Überqueren die GÜST Tschir./
Brennersgrün anzulaufen.

3. Die Passage kann nur von Bürgern der DDR, der BRD und
Westberlin genutzt werden.

4. Die Passagen sind täglich von 8 - 20 Uhr begehbar.

5. Bei der Bewanderung des Teilabschnittes sind die mit R
gekennzeichneten Wege oder die mit Strichmarkierung gekennzeichneten Zubringerwege nicht zu verlassen. Sie befinden
sich in einem Naturschutzgebiet.

*am 28. April 1990 gab es die erste „gesamtdeutsche" Rennsteigwanderung über die „Kalte Küche"
bei Spechtsbrunn und Tettau.*

Denkmal des Rennsteigwanderers in Blankenstein in Stein; zuvor stand hier das Holzbildnis eines Mönchs.

In Blankenstein befindet sich auch ein Rennsteig-Museum.

Auf diesem Notgeld der Gemeinde sind Rennsteig-Motive verewigt.

Stimmung in Gras und Kraut, Baum und Blüte, Wald und Feld.

„Schutz-Geier" an einem Hausvorbau in Lichte bei Neuhaus.

Blick auf die Kirche im Doppelort Scheibe-Alsbach.

Talromantik im Thüringer Schiefergebirge des Kreises Neuhaus.

Blick auf Steinheid, einen der schneesichersten Orte des Waldes.

Urwaldartig bietet sich hier der Forst am Kammweg.

Blick auf das Ringberg-Hotel am Stadtrand von Suhl, vom Volksmund respektlos „Runkelsburg" genannt.

Baumgruppe auf einer der zahllosen Hochflächen.

Winterstimmung, wenn Baum und Strauch ein weißes Kleid tragen und im Walde Stille herrscht . . .

Rennsteigläufer unterwegs; über den Kammweg führt Europas größter Cross mit rund zehntausend Meldungen jährlich.

GutsMuths – lieh seinem Namen den Lauf auf dem Kammweg. In seinem Geiste starten alljährlich die Massen (folgende Seiten).

ISBN 3-13368-007-2
© Verlagshaus Thüringen in der Verlag und Druckerei Fortschritt Erfurt GmbH
Reihengestaltung: Hajo Schüler
Farbaufnahmen: Manfred Steinig/Gerhard König (3)
Text: Roland Sänger
Reproduktionen: Aus „Mareile" – Festschrift zum 90-jährigen Bestehen des Rennsteig-Vereins und aus Bühring und Hertel: „Der Rennsteig"
Gesamtherstellung: Verlagshaus Thüringen in der Verlag und Druckerei Fortschritt Erfurt GmbH
Redaktionsschluß: April 1991